Gritar y Contar

por Debi Pearl

Samuel aprende a Gritar y Contar

Derechos de Autor © 2010 por Debi Pearl.
ISBN: 978-1-61644-100-5

Primera impresión en Español: Abril 2018, 2,500.

Publicado por No Greater Joy Ministries Inc.
1000 Pearl Road Pleasantville, TN 37033 USA

Escrito por Debi Pearl

Personajes creados por Debi Pearl
Ilustraciones por Benjamin Aprile
Pintura por Michael Pearl
Diseño por Lynne Hopwood

Todas las referencias bíblicas fueron tomadas de la Biblia Reina Valera 1960.

Samuel aprende a Gritar y a Contar podrá ser adquirido con descuentos especiales por escuelas, universidades, para regalos, para promociones, para recaudar fondos, o para propósitos educativos. Licencias y permisos disponibles.

Impreso en Canada.

Toda petición de información requerida deberá ser dirigida a:
Administrador General
No Greater Joy Ministries, Inc.
1000 Pearl Road
Pleasantville, TN 37033 USA
www.nogreaterjoy.org

Este es un libro de No Greater Joy Ministries

Este libro fue inspirado por mi valiente y joven amigo,

quien fue lo suficientemente sabio para gritar y contar.

Debi

www.yellandtellbooks.com

Escucha, Samuel, mi pequeño muchachito,

Es tiempo de aprender, el plan de Dios escrito.

Él nos enseña en su libro

Las cosas **GRANDES** y **PEQUEÑA**s que él hizo.

Árboles, abejas y flores; y la brisa cuanta quiso.

Dios lo hizo todo, hasta las pulguitas que yo piso.

Para que pudieras ver la luz,

Dios tus ojos hizo.

Y él siempre nos dice, que hagamos lo correcto.

Él hizo tus oídos, tus manos y tus pies.

Fuerte hizo tu cuerpo, y comida para comer.

Querido Samuel, aprende todo lo que puedas,

Porque un hombre, un día tú serás.

Y tú te convertirás,

En lo que ahora aprendas

Y en lo que ahora hagas

Esta es una sencilla lección.

Pero necesitas grabarla en tu corazón.

Te ayudará a estar listo por cierta razón

Debe ser, ahora que comenzaste a crecer.

Muchos de los niños que nos rodean,

Son tan buenos como ellos pueden ser.

Pero entre los niños buenos,

Hay unos muy muy malos,

Que **APARENTAN** ser muy sanos.

Y yo no conozco sus nombres.

BUBba's pan

RED PAINT

5

Sabrás que es un chico malo,

Por las cosas que te pida hacer.

Cuando nadie te puede ver,

Y cuando nadie te puede escuchar

Tu pipí querrá mirar,

O tal vez la suya te quiera enseñar.

Y, ¿sabes, pequeño Samuel?

Eso está muy mal

Aún si es tu amigo, está mal.

Eso entristece mucho a Dios.

Y te pregunto Samuel querido,

¿Pensarás que es divertido?

¿Con él te quedarás?,

¿o **CORRERÁS**?

No me quedaré, ni pensaré que es divertido.

El mal que ha hecho, es pervertido,

Cuando él diga "calla",

Yo me *APRESURARÉ*.

Me *APRESURARÉ*.

ME *APURARÉ*,

Y su malvado secreto contaré.

Esta enseñanza rara puede sonar.

Pero del enemigo de Dios te voy hablar.

Casi siempre se porta amablemente.

Tú pensarás que lo es realmente,

Porque regalos te dará, y palabras adulantes te dirá.

Él sabe que te pondrás ***MUY TRISTE***, porque te lastimará.

Cuando se acerque, ¿lo reconocerás?

Como tu mejor amigo se disfrazará.

Con sus brazos te columpiará.

Y juguetes te traerá.

Él, con todos los niños jugar querrá.

Muy seguido en sus piernas te sentará.

Y cuando mamá y papá no están observando

Suavemente allí abajo, comienza tocando.

Después quedito te dice ¡esto te gusta camarada!

También te dice, "**CALLA** no digas nada,

Éste será nuestro secreto

Y nunca nadie debe saberlo

Porque nadie va a creerlo."

13

¿Cómo podrás entenderlo, si apenas un pequeño eres?

¿Y si te ofrece muchos juguetes que tú quieres?

¿Harás lo que te dice, guardarás su malvado secreto?

¿O **CORRERÁS** a **GRITARLO** y **CONTARLO?**

¿Samuel, serás valiente y honesto?

15

Dijo el pequeño Samuel, yo no sabía,

Que un hombre fingir podía,

Que nuestro amigo especial sería.

Ahora, si él me toca así,

Un malvado sabré que es.

Pero yo no callaré lo que es.

Sino que me escaparé, y sí que se enojará.

La mesa se **SACUDIRÁ** y **RETUMBARÁ**,

Porque muchísimo y fuerte yo gritaré,

Y correré y correré, y sin dudar contaré.

Y gruñirá el perverso, porque yo lo delataré.

Querido Samuel, ¿y qué tal si el mal es un libro?

Al que desagradables páginas ya le han metido.

Si mujeres sin ropa y extrañas, es su contenido.

Y ¿qué tal si alguien te dice, "Sólo una miradita te pido?".

Samuel, ¿mirarás **TÚ**, mi pequeño amigo,
a tan **PERVERSO LIBRO**?
¿Ensuciarás tu preciosa alma,
con imágenes que el Diablo toma?

El Diablo es un mentiroso, lo sé.

Y quiere corromper mi alma, ya sé.

Desea ensuciar mi cabeza.

Es su plan, sé con certeza.

Pero muy pronto yo un **HOMBRE** seré.

Y en la cabeza de un gran clan me convertiré.

Y lo que veo y lo que sé,

determinará cómo les guiaré.

Ese horrible libro no miraré yo.

Ni las fotos que el Diablo tomó.

¡Yo sé!, ¡yo sé! Sé exactamente lo que haré.

Por mucho tiempo y muy fuerte yo gritaré.

Y la mesa se **SACUDIRÁ** y **RETUMBARÁ**.

Luego correré, y lo contaré y lo contaré,

y su viejo libro pedazos se hará.

Pero querido Samuel, tengo miedo, tengo miedo.

¿Qué tal si un niño **GRANDULÓN**,

se baja el pantalón

y te dice, si no ves ésto te lastimaré,

si no haces lo que te digo yo te golpearé?

¿Qué tal si te ordena "calla, no digas nada,

Te arrepentirás si me haces una jugada"?

¿Qué harás querido Samuel?

¿Te asustarás tanto que ni siquiera gritarás?

¿Te asustarás tanto que no lo contarás?

Quizás me asuste, dijo el pequeño Samuel,

Pero Dios está de mi lado y confío en él.

Lo correcto haré

Sus maldades al descubierto pondré.

Mami querida no temas,

Haré lo que me enseñas,

Tan alto como pueda,

yo voy a **GRITAR**

Aunque diga que calle, no voy a callar.

Todos escucharán.

Y todos sabrán.

Derrotaré a mi enemigo verán...

Samuel querido, ¿qué es lo que harás

cuando el Diablo te tiente,

cuando tengas un sucio pensamiento en tu mente,

te esconderás para no ser descubierto?

¿Defenderás la luz y verdad sin pretexto?

¿Harás lo que sabes que es correcto?

Querido Samuel, ¿Qué es lo que tú harás?

cuando el Diablo te tiente **INCLUSO A TI**,

¿lo escucharás?

Yo no me esconderé, ni trampa haré

No me ***ESCABULLIRÉ***

No me ***ACOBARDARÉ***

Tampoco me ***RENDIRÉ***

Y cuando malos pensamientos vengan a mí.

A Dios le pediré los saque de aquí.

Defenderé la luz y la verdad.

Pelearé con toda mi fuerza y voluntad.

Mamá, listo ya estoy.

Ya sé qué haré hoy.

Si alguien tocare mi pipí,

SIEMPRE lo voy a ***CONTAR***,

y siempre lo voy gritar

Tal como me enseñaste te voy a contar.

Bien me instruiste mamá, así voy actuar.

Comenzaré justo ahora

Lo diré como es sin demora.

A todos los niños que andan por ahí,
ESCUCHEN lo que digo ¿sí?

Hay una cosa horriblemente vil,

Y podría en verdad a ti pasarte.

Pero es muy sencillo cuidarte.

Tú necesitas saber esto:

Nunca guardes un secreto deshonesto.

Si alguien debe ser delatado,

No te avergüences Samuel amado.
¡CUÉNTALO TAL COMO ES!

Aprende a GRITAR.

Siempre lo debes

CONTAR.

Yo sí que puedo.

Y tú también sin miedo.

Queridos papá y mamá:

El predador de niños pierde su poder cuando pierde su cubierta. Este libro fue escrito con el propósito de enseñar a los niños y padres lo crítico de este asunto. Si todos los niños hubieran sabido que serían escuchados y protegidos si ellos gritaban y contaban, eso hubiera detenido a la mayoría de los predadores de andar cazando niños.

Sus hijos necesitan saber que ellos pueden acercarse a usted en cualquier momento y en cualquier lugar. También deben saber que ustedes están listos para escuchar y actuar con el fin de protegerlos. Ellos no van a comprender todo esto por instinto natural. Como padres, es su responsabilidad comunicar este mensaje con efectividad.

Los predadores de niños son profesionales.

Los predadores saben cómo mentir. Ellos saben qué hacer para que un niño luzca como tonto. Así mismo, los predadores saben cómo hacer sentir avergonzados a los padres, por tan sólo atreverse a sugerir que ellos (los predadores) podrían ser culpables de tan repulsivo acto.

Su hijo, por otro lado, es un niño. Él sentirá vergüenza, temor e incertidumbre, porque su joven conciencia no puede lidiar este asunto tan perverso.

Por lo general el predador es un amigo o familiar.

De los casos reportados por abuso sexual en menores, 50% son realizados por un amigo de la familia, el 40% de los caos proviene de miembros de la misma familia, tales como un tío, o incluso un abuelo. Y solamente el 10% de los casos reportados proviene de individuos desconocidos.

El predador de niños podría usar a sus propios hijos como carnada.

Usted tiene que entender que los predadores de niños usualmente aparentan ser muy normales. Hay casos de predadores que están casados y tienen una familia. Es común que un predador de niños use a sus propios hijos para atraer a otros niños a su, "amistoso", pero perverso círculo.

El predador de niños provocará que le tengas aprecio.

Este tipo de personas siempre están felizmente dispuestos a cuidar a tus hijos un día. El tipo parece tener un "don" con los niños. Esta persona provoca que le creas, que te agrade, y que le tengas aprecio. Por un instante te preguntas si tal vez no es realmente sincero, pero esa pregunta por sí sola parece tan repulsiva, que tú ocultarás esos perversos pensamiento detrás de ti. Porque al lado de todo esto, es muy bueno tener a alguien que se lleve a tus hijos por una tarde.

Es un lamentable intercambio: Tú obtienes unas cuantas horas de bendita paz, y mientras tanto, tu adorable hija de tres años pierde su inocencia y comienza una vida de quebrantamiento ocasionada por ese supuesto "amigo".

El depredador de niños sabe cómo hacer que tu hijo se sienta culpable y responsable por lo que pasó, garantizando de manera efectiva su silencio. La mayoría de los padres se sienten tan perturbados por la idea de que su hijo esté siendo abusado que, cometen el error de hacer preguntas con tanta desesperación que provocan que el niño se asuste. Por ello, entra en pánico y no dice nada. Como el predador ya ha perturbado el alma y la mente de estos niños, estos pobres pequeños tienen mucho temor para contar lo que realmente pasó, incluso, si se les pregunta amablemente.

Un padre DEBE ser proactivo.

Debes aprender a mirar y escuchar. Cuida a tu niño.

VELA por tu niño. Toma el consejo de la mamá de Samuel y pregúntale a tu hijo "¿Qué tal si pasara tal cosa?". Haz preguntas sin provocar que tu hijo sienta temor de que te molestarás con él o con ella por sus respuestas. Cada dos o tres semanas, léele a tu hijo en voz alta los libros de "GRITAR Y CONTAR".

Aventaja al Depredador.

Como esfuerzo para para distanciar a tu hijo de ti, el depredador sexual buscará la manera de establecer que tú y el predador sean un equipo, y que tu hijo está fuera. Mantén al pervertido fuera de este juego, creando un fuerte equipo con tu hijo, primeramente. Mantén un dialogo abierto con tu niño(a), sobre este tema. De esa forma, él o ella hablarán contigo, tan pronto como reconozcan que están siendo manipulados por un pervertido con piel de oveja. Prevén, tal como dice la Escritura:

"línea sobre línea, un poquito aquí, otro poquito allá"1. O sea, habla con regularidad con ellos sobre esto, pensando en la posibilidad de que ese tipo de "personas" se tope con tu hijo. Enséñales que, ya sea alguien joven o adulto, "buenos amigos", o si son extraños, diles: si alguna persona alguna vez te toca o intenta enseñarte sus partes íntimas, entonces ven y cuéntamelo".

Un padre debe sacrificarse.

No escojas la salida fácil. Deja a tu hijo únicamente con personas que tú estás seguro que caminan en la verdad. Y sólo para estar seguro, consulta con varias personas que han conocido a esa persona por más tiempo, y pregúntales francamente: ¿Crees que hay algún motivo por el cual yo no debería dejar a mi hijo con esa persona?

Date a conocer como oso despiadado que no perdonará al que llegue tocar a tu hijo.

Si hay algún depredador sexual dentro de tu círculo de amigos y dentro de la familia, y te escucha advirtiendo a tus hijos sobre los depredadores, el predador se negará a buscar una oportunidad con tu familia. Y cualquier predador de niños que se dé cuenta que estás dispuesto a ir hasta lo último de la tierra para ver que cualquier abusador de niños reciba la pena máxima dada por la ley, y que no te importaría que fuera tu mejor amigo o tu hermano, entonces, el predador preferirá evitar a tu hijo. Los depredadores sexuales infantiles buscan a los más vulnerables.

No seas el abogado del Diablo.

La mayoría de los padres prefieren evitar atraer la mirada de su mundo social a esta horrible verdad. Ellos simplemente no quieren que su hijo sea conocido como un niño que ha sido abusado. Lo que hacen es silenciar y silenciar el asunto. El depredador cuenta con que los padres y las víctimas mantengan sus bocas cerradas. El depredador se andará con cuidado por unos cuantos meses o unos cuantos años, y después buscará otra víctima. Quiera Dios, que todos nosotros aprendamos a odiar todo lo que Dios odia, por el bienestar de los pequeños.

Viste a tu hijo por seguridad.

Por ridículo que parezca, el pervertido ama estar mirando los traseritos de las pequeñas nenas. Sé precavido de cómo vistes a tu pequeña hija, hazla que vista shorts ajustados debajo de su vestido, de esa manera, vas a frustrar la mirada enferma del perverso. Piensa cómo los hombres normales reaccionarían ante una mujer que viste un vestido corto con las piernas levantadas, enseñando sus pantaletas. Los depredadores sexuales obtienen una "galería" de escenas provocativas en la mayoría de parques y en la mayoría de los cultos de las iglesias. Es escalofriante pensarlo.

De la forma en que crece la pornografía infantil, de la misma manera aumenta el número de hombres que lujurian a los niños pequeños. Debemos ser proactivos, vistiendo apropiadamente a nuestras vulnerables hijas.

Se sabio, mas no paranoico.

La mayoría de la gente es normal, y está tan horrorizada sobre el abuso infantil tal como tú lo estás. El problema es que esos pervertidos se esconden tras el rostro de una persona aparentemente normal.

Dios promete sabiduría a los que le piden2. Este regalo invaluable es muy fácil de recibir. En esta perversa generación lista para la pornografía infantil, tus hijos necesitan padres sabios que los salvaguarden. Así que, pide sabiduría. Pide y pide, y pide de nuevo, y continúa recibiendo más y más sabiduría.

Al mismo tiempo, no le permitas a tu mente crear una tragedia donde todo está en paz. La sabiduría te ayudará a discernir cuándo es que hay algo por lo que deberías preocuparte. La mayoría de los acosadores infantiles viven sus vidas de manera pacífica y con éxito. Nunca nadie ha hablado algo de ellos, por lo tanto, nadie sabe nada de lo que han hecho, excepto el silencioso y destruido camino de víctimas que ha dejado atrás. Los predadores sexuales viven muy tranquilos porque, de la gran cantidad de niños que han violado, ninguno se ha atrevido a contar lo que ha pasado, ni siquiera aquellos que ya crecieron y ahora son adultos. Pero sin lugar a dudas, el día del juicio vendrá3. Y cada perverso deseo, todo cuanto tuvieron, será completamente revelado, y enfrentarán el terror de un Dios enojado. Y yo estaré ahí mirando, y me regocijaré cuando venga su calamidad. Pero mientras llega ese bendito día, léele este libro y los otros libros "GRITAR Y CONTAR" a tus hijos. Comenten entre ustedes lo que aprenden. Haz preguntas. Presta atención a cualquier signo de miedo o ansiedad en tu hijo concerniente a algún familiar o amigo. Nuestros hijos nos fueron dados para criarlos y protegerlos, ellos nos necesitan. No se te olvide recordar que el predador sexual pierde todo su poder cuando pierde su cubierta.

Todos los días dile a tu hijo: "Te amo y deseo que estés seguro, y como yo te quiero mucho, te pido que siempre, siempre, me cuentes todo aquello que deba ser contado. Yo siempre, siempre, te escucharé".

1.Isaías 28:10 Porque mandamiento tras mandamiento, mandato sobre mandato, renglón tras renglón, línea sobre línea, un poquito allí, otro poquito allá;

2.Santiago 1:5 Y si alguno de vosotros tiene falta de sabiduría, pídala a Dios, el cual da a todos abundantemente y sin reproche, y le será dada.

3.Mateo 18:6 Y cualquiera que haga tropezar a alguno de estos pequeños que creen en mí, mejor le fuera que se le colgase al cuello una piedra de molino de asno, y que se le hundiese en lo profundo del mar.

Marcos 9:42 Cualquiera que haga tropezar a uno de estos pequeñitos que creen en mí, mejor le fuera si se le atase una piedra de molino al cuello, y se le arrojase en el mar.

Lucas 17:2 Mejor le fuera que se le atase al cuello una piedra de molino y se le arrojase al mar, que hacer tropezar a uno de estos pequeñitos.